选择绿色印刷

保护环境，爱护健康

亲爱的读者朋友：

您手中的这本书已入选北京市优秀少儿读物绿色印刷示范项目。它采用绿色印刷标准印制，在它的封底印有“绿色印刷产品”标志。

按照国家有关标准（HJ 2503-2011），绿色印刷选用环保型纸张、油墨、胶水等原辅材料，生产过程注重节能减排，印刷产品符合人体健康要求。

北京市优秀少儿读物绿色印刷示范项目，是北京市新闻出版局组织开展的重要公益性文化服务项目，也是北京市绿色印刷工程的主要组成部分，目的是宣传绿色印刷理念，普及绿色印刷知识，为广大少年儿童提供更加健康安全的读物。

北京市绿色印刷工程

伊莱家的谎言机

一个说实话的故事

[美] 桑德拉·莱文斯（Sandra Levins）著
[美] 杰弗里·艾伯乐（Jeffery Ebbeler）绘
微笑 译

化学工业出版社
·北京·

献给克里斯廷编辑，谨以致谢。献给伊莱，本书借用了你的名字，但故事纯属虚构。——桑德拉·莱文斯

献给伊莎多尔和奥利。——杰弗里·艾伯乐

图书在版编目（CIP）数据

伊莱家的谎言机：一个说实话的故事／[美]莱文斯（Levins, S.）著；微笑译．—北京：化学工业出版社，2012.6（2020.9 重印）

（儿童情绪管理与性格培养绘本）

书名原文：Eli's Lie-O-Meter: A Story About Telling the Truth

ISBN 978-7-122-14131-6

I. 伊…　II. ①莱…　②微…　III. 儿童读物—图画故事—美国—现代　IV. I712.85

中国版本图书馆 CIP 数据核字（2012）第 078684 号

北京市版权局著作权合同登记号：01-2011-6424

责任编辑：郝付云　肖志明　万仁英　　特约编辑：李　征

责任校对：王素芹　　装帧设计：黑羽平面工作室

出版发行：化学工业出版社（北京市东城区青年湖南街13号　邮政编码100011）

印　　装：北京瑞禾彩色印刷有限公司

889mm × 1194 mm　1/20　印张2　字数27千字　2020年9月北京第1版第33次印刷

购书咨询：010-64518888　　售后服务：010-64518899

网　　址：http://www.cip.com.cn

凡购买本书，如有缺损质量问题，本社销售中心负责调换。

定　　价：12.80元

出版者的话

在我们的传统思想中，往往认为小孩子什么都不懂。但回忆自己的成长经历时，却发现我们其实有着很多不为大人所知的烦恼，也曾经渴望得到更多的支持。也许我们在无助中度过了很多岁月，但我们的孩子不应该如此。也许我们是稀里糊涂地长大的，也还长得不错，但我们的孩子应该更加享受成长的过程。我们的父母在他们所知所能的范围内已经尽了他们的努力，今天，轮到我们的时候，我们也需要去努力。

曾经的小孩子成为父母，尤其是成为从事出版工作的父母之后，首先想做的就是奉献出一套帮助孩子成长的书：让孩子更勇敢地面对恐惧、焦虑、害羞等成长中的困惑，让孩子更顺利地走过上幼儿园、上学、交友等所有人生中的第一次。

我们也了解任何一个不经意的细节可能给孩子的威胁，所以，我们磨去了书的尖角，采用亚光的封面……

但愿我们的孩子长大之后，回忆自己的童年，曾经的烦恼可以成为笑谈，因为身边有父母、有书相伴。

等伊莱长大了，他想要飞翔！
他是多么喜爱飞机和火箭啊！

伊莱还画了色彩缤纷的宇宙飞船，妈妈把这些画镶在框里，挂在书房的墙上。

有时伊莱会戴上游泳眼镜，假扮成一名开喷气式战斗机的飞行员，然后和副驾驶达菲一块儿飞上好几个小时。

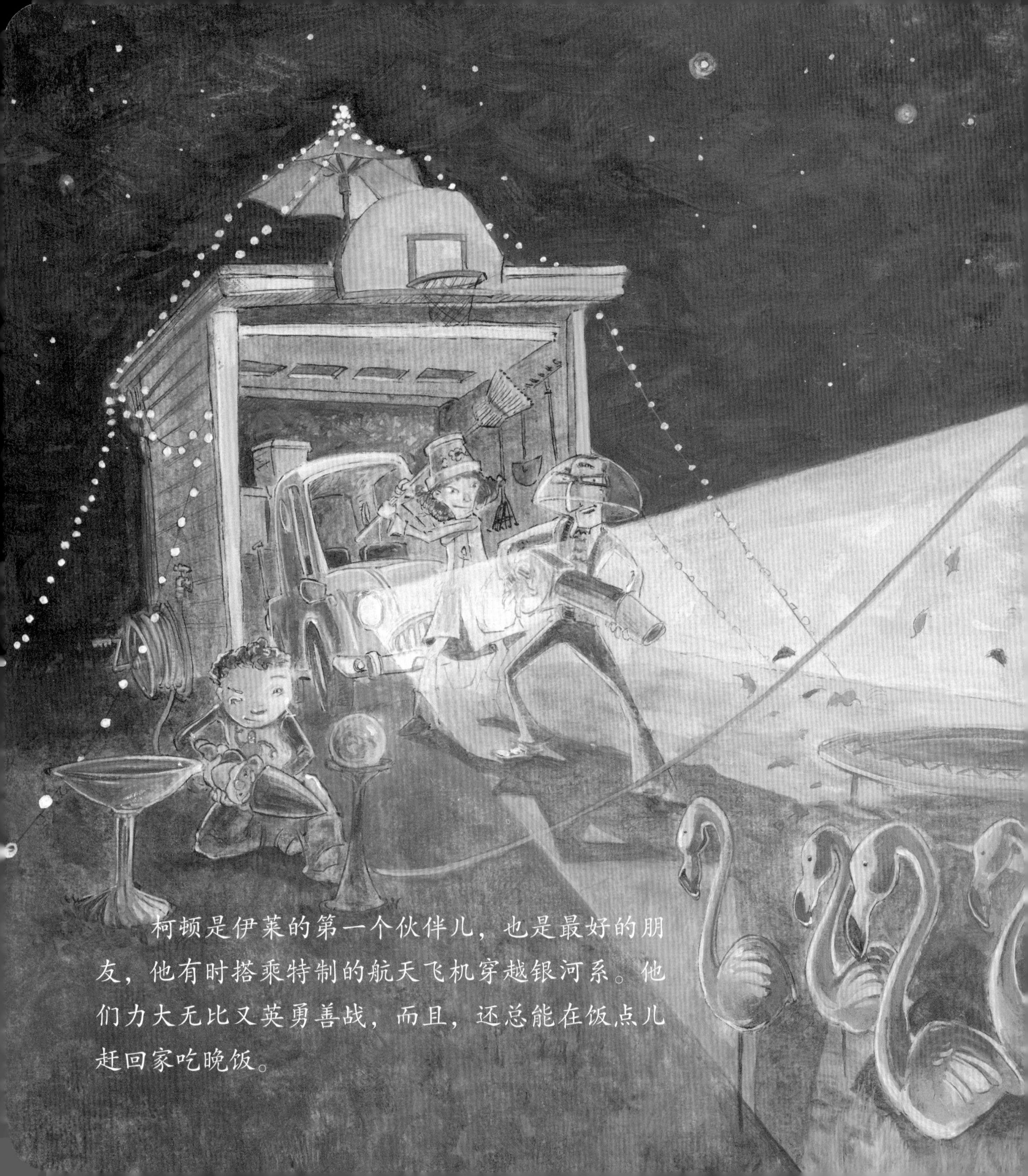

柯顿是伊莱的第一个伙伴儿，也是最好的朋友，他有时搭乘特制的航天飞机穿越银河系。他们力大无比又英勇善战，而且，还总能在饭点儿赶回家吃晚饭。

Rocket Booster

可是，伊莱遇到了一个麻烦。

自打邮递员送来了那个**超高级的谎言机**，他就开始有麻烦了。

这玩意儿看起来跟普通的座钟没什么两样，可只要有人说了谎话，钟上的灯就会猛闪，指针狂转，接着吐出一张纸条儿，上面标明你说的话里面到底有多少是真的。

其实对于假想和真事儿的区别，伊莱还是能分清的。他环游世界或大战海怪，那是假想的，而真事儿就是实际发生的事情。

可有时候，把真事儿说出来对伊莱来说并不那么容易。

现在，家里摆着这么个谎言机，伊莱的麻烦变得超级大了。

不管是微不足道的小谎，还是荒唐无比的弥天大谎，都能被谎言机精确地检测出来。

星期一，爸爸让伊莱去收拾散在地上的积木，他立马提醒爸爸：“最后一个玩积木的是麦迪逊。”

谎言机马上亮灯，转盘飞旋，接着弹出一张“小谎券”。

星期二，临睡前妈妈问伊莱：“你刷牙了吗？”

“刷了。”伊莱回答。

那谎言机又是撅嘴，又是气急败坏，噼啪乱响，一张“谎话券”像舌头似地伸了出来。

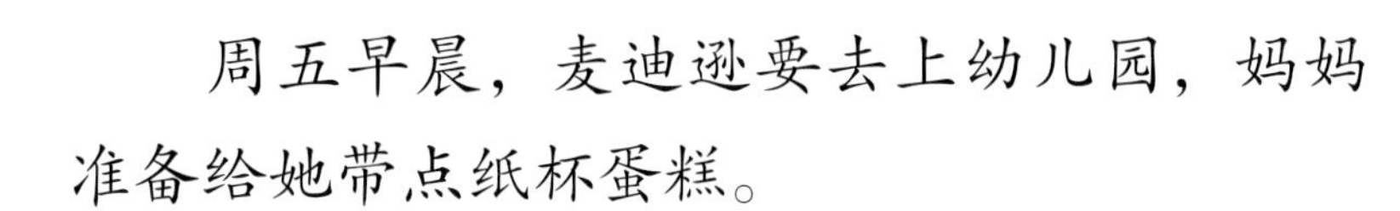

周五早晨，麦迪逊要去上幼儿园，妈妈准备给她带点纸杯蛋糕。

“谁吃了纸杯蛋糕？我明明记得做了十二个呀。”

麦迪逊耸了耸肩，表示一无所知。

伊莱飞快地抹去嘴边的蛋糕碎渣儿，说：“呃，不是我。”

谎言机顿时吧嗒作响，还叹着气。

妈妈从地上捡起纸条儿。“伊莱，这可是张‘大谎券’呢，”妈妈说，“小伙子，我可真希望这些券儿能废物利用。咱家已经有一大堆‘谎话券’了！”

此后伊莱一直开心不起来。他觉得偷吃蛋糕确实不像话，又不满意自己说了谎，全家人餐后吃蛋糕的时候也没有他的份儿，这让伊莱好失望。

这个谎言机可真讨人烦。

WELCOME

星期六，伊莱和达菲在客厅里扔橄榄球玩。

其实伊莱很清楚不应该在屋子里玩传接球，可妈妈这会儿在书房里，谁会知道他在玩传球呀。

嗯，是没人知道，直到“**啪**”的一声响！

妈妈喊:“伊莱，出什么事儿了?”

“是达菲把灯给打翻啦。”

“啊呀，糟糕!”妈妈嚷嚷起来，“达菲，我非常非常爱你。可从现在开始，你必须给我待到屋子外头去!”

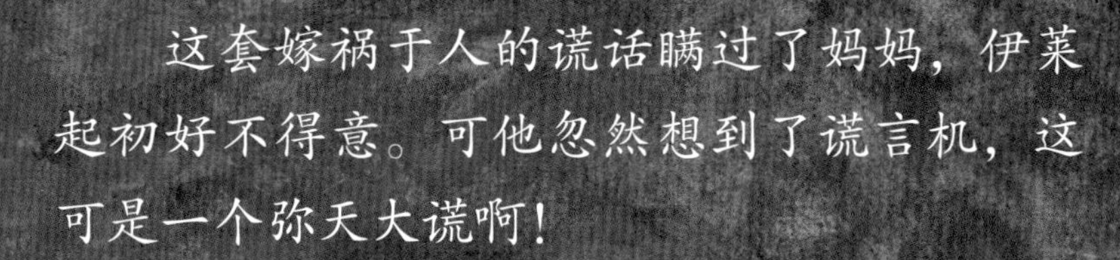

这套嫁祸于人的谎话瞒过了妈妈，伊莱起初好不得意。可他忽然想到了谎言机，这可是一个弥天大谎啊！

不可思议的是，谎言机这次居然没有识破他的谎话。

但那一夜，伊莱念念不忘平日睡在床脚边的达菲。

第二天一早，伊莱去厨房找爸爸妈妈。

“爸爸妈妈，我想说说那个台灯的事儿……”

接着他把实情一五一十地讲了出来。

这时，谎言机动静很大，像是要爆炸似的，指针击中了“真话”标记，接着送出了一张尺寸超大的“真话券”！

TICKET
Truth
LIE-O-METER

VELKOMMEN

爸爸说:“伊莱，我们理解你的行为，因为没人愿意让自己惹上麻烦，可如果你的谎话让无辜的人或者小狗受了冤枉，那就很不公平了。”

妈妈说:“你能想明白并说出真相，我和爸爸为你感到自豪。你的勇敢和诚实，我们都看到了。从今天起100年里你都实话实说，好吗?”

伊莱明白，100年就意味着永远。

他同意了:“遵命，机长!”

妈妈拾起“真话券”，发现背面印着字，她大声读了出来：

正念着，谎言机突然激烈地晃动起来，嘎吱作响，汽笛嘟嘟，灯光闪闪，表盘转个不停，最后“扑通”一声，喧闹静止了。

伊莱把眼睛瞪得大大的，凑近机器仔细端详。

Tic-O-Meter

Whole
but the
Truth

“哇！”伊莱惊叫起来，“它变样儿了，变成真话机了！怎么回事呀？”

妈妈说：“我也不清楚怎么回事儿。不过我喜欢‘真话’，可我看咱家用不着检测这个。”

妈妈对伊莱眨了眨眼，推开了过道门，达菲蹦跳着冲回屋里。

写给父母的话

玛丽·拉米亚 博士

作为家长，想必您早已自制了一部心理“谎言机”，并以此来判断孩子是否诚实。您可能会留意到孩子说话的语音语调、某个面部表情或特别举止，这些都是揭示实情的线索，凭借它们家长能分辨出孩子的言语里真实的成分究竟有多少。同时它们也帮助父母了解孩子的谎言是怎么回事，这对解决问题是有益处的。很多孩子并不觉得自己在撒谎。实际上，歪曲事实只是一个便于他们逃避惩罚甚至获得好处的策略，也能助他们免于羞愧或尴尬，或者是为了保护隐私。

如果孩子经常撒谎，父母不免大伤脑筋。要解决这个问题，我们应该把关注焦点放在诚实的重要性上，而不是撒谎行为本身。

如何鼓励诚实

父母往往并不察觉自己在不经意之中教会了孩子用谎言来避免难堪。甚至，在某些情况下撒谎看似是可以被接受的。举个例子，您孩子的同学想约他玩，可孩子偏偏不喜欢这位同学，这时一个编造出来的理由是不是解围的好法子呢？又或者，当孩子很实诚地评价妈妈的新发型“很吓人”时，妈妈会不会也没什么好气呢？在这种情形下，假话岂不是显得更礼貌些？谎言在什么时候是可以被接受的，什么时候又不被允许，孩子很难拿捏好分寸。因此请您先考虑清楚得体的社交需要、礼貌与撒谎、欺瞒或误导的区别，然后和孩子讨论：什么时候可以说假话？什么情况下不允许撒谎？

- **强调信任的重要性**

与其过分强调不应该夸大、捏造事实或撒谎，我们更应该强调信任的重要性。您不妨问问孩子，如果朋友几次三番歪曲事实，或是当他没法再相信朋友说的话时，内心的感受是怎样的。如果您违背了对他的诺言，他又会怎么想。

- **做个好榜样**

如果父母是好榜样，那么孩子通常也会要求自己做值得信赖的人。同时他们希望与自己交往的人也是可以信赖的。儿童经由多种途径知道人们是会撒谎的，但他们未必了解隐藏在谎言下的后果或对未来所产生的影响。孩子可能认为撒谎反而比诚实更能带来正面结果。建议您和孩子说说您自己是一个如何值得信赖的人，同时您希望其他人也都是诚实的。和孩子一起猜测书中以及影视节目里的人物会如何看待撒谎现象，还可以讨论谎言对人与人之间关系的影响。

- **讨论你们的期望**

当孩子惧怕父母可能对自己的成绩、举止或社交技巧有负面反馈时，他会采取言过其实和编造故事来获取认同或维护自尊。有时，孩子也不得不靠撒谎来掩盖自身的失败感，以免辜负父母和自己的期望。因此，建议您和孩子讨论你们对他的期望是什么，而他对自身又有着怎样的期望。

- **避免批评、指责或评判**

相反，应该认同孩子的恐惧和焦虑。您可以问问孩子，“什么事让你害怕对我说实话？”或者“是不是发生了什么事情让你感到内疚和羞愧？”您可以就孩子的谎言提供其他可能的解释，或者提议一起探究为什么难以讲出真相。所有这些并非撒谎的借口，而是为了引发孩子今后在撒谎前先做一番思考。父母一定要坚信，诚实是孩子的意愿，只是在某些情况下撒谎显得更轻松。

在大多数情况下，您确实是孩子最好的援助者。但假如孩子一直未能摆脱撒谎习性，甚至谎话远多于真话，那么这可能意味着另有症结，建议您请教注册心理咨询师。

关于作者

桑德拉·莱文斯(Sandra Levins)，与丈夫吉姆、继子凯文居住在爱荷华州的伯灵顿市。在这个不断壮大的家庭里不仅有儿子儿媳，还有两个宝贝孙女佐伊和佩顿。桑德拉有五个儿子，四个已养育成人，还有一个也即将步入青年期。在她看来,《伊莱家的谎言机》这本书定能时不时助你一臂之力！

玛丽·拉米亚（Mary Lamia）博士，临床心理学家，教授，任职于加州大学伯克利分校怀特研究所。她面向的人群包括成年人、青春期和青春前期的孩子。近十年来，她每周在迪斯尼广播电台主持一档名为“和玛丽博士聊孩子”的听众热线节目。

关于绘图作者

杰弗里·艾伯乐(Jeffery Ebbeler)，从事儿童艺术创作近十年，他和妻子艾琳都曾就读于辛辛那提艺术学院，现与双胞胎幼女奥利维亚、伊萨贝尔一起住在辛辛那提。打鼓是杰弗里的业余爱好。

关于译者

微笑，11岁男孩的妈妈，萧愚家庭教育网校学员，上海市心理学会会员，外企HR。因为喜欢与人打交道，放弃了财务背景而从事人力资源工作，十年来与孩子同步发展，深感妈妈的角色最幸福也最艰难。最大的心愿：做更好的母亲，不负今生的缘分。

关于萧愚家庭教育网校

成立于2009年，是学习型父母的在线大学，在籍学员逾千人。课程包括早期教育、学前教育、小学教育等多方面内容。建有儿童思维发展、儿童阅读、儿童数学、德育、学习困难等多个研究中心，经过两年多的发展，一个比较完备的家庭教育学习与研究体系已经初步形成。首次与出版机构合作翻译项目，由妈妈级、爸爸级译者担当，用知识与爱心铸就高品质图书。

儿童情绪管理与性格培养绘本

从书特色

1．由美国心理学会资深儿童心理学家撰写，专业插画家绘图，具有心理学背景的译者翻译。国内首套以儿童情绪管理和性格培养为主题的心理自助读物。
2．生动、有趣的故事场景，成长的道理蕴涵其中，鼓励家长与孩子进行更多互动交流。
3．书后附有“写给父母的话”，帮助家长与孩子共同成长。
4．幼儿园和小学情绪体验与性格培养课程的最佳辅导教材，适合3岁以上儿童与父母、老师共读。

从书介绍

第三辑　生病了怎么办

《拉便便好疼！》

给便秘孩子的健康指导

赖安很害怕用便盆。他害怕拉便便，因为他害怕会很疼，虽然他一点儿也不想这样。霍华德 J. 博尼特博士根据他在儿科临床中对患儿所采取的做法改编了这个故事。对于孩子来说，一次痛苦的便秘经历就会使孩子对顺利排便丧失自信。要让孩子知道，按照“便便方案”的步骤来做，养成健康的排便习惯其实很简单。

《哈利去医院》

医院不是个可怕的地方

一个让孩子了解“去医院将会经历些什么”的故事。哈利病了，必须去医院。可他从来没去过那里，他觉得很害怕！医院里有很多不认识的人，他要接受静脉点滴，他还必须在陌生的环境里过夜。但是，在爸爸妈妈的安慰、医护人员的帮助，特别是他的毛绒玩具兔子巴尼的陪伴下，哈利最终了解到，医院其实并不是个可怕的地方。

《我不怕疼》

帮助生病中的孩子减缓疼痛

本书通过漂亮的图画和安抚性的文字给孩子介绍了两种通过潜意识减缓疼痛的方式——想象和深呼吸。美好的想象不仅可以让大脑暂时忘掉疼痛，还能真正地在生理上让疼痛降级。深呼吸作为放松身体的方式，也能起到安抚的作用，从而进一步减缓疼痛。当疼痛比较轻微或短暂时，只借助这两种方法就能起到一定作用。当疼痛比较剧烈时，这些方法也可以作为综合止痛疗法的辅助手段。

第四辑　成长进行时

《上学第一天》

做好入学准备，迎接上学第一天

山姆长大了，该上学了。在开学第一天这个重要的时刻开始时，尽管有奶奶的再三保证，山姆还是很想念奶奶，并且对学校陌生的环境有一点点害怕。伴随着山姆交到新朋友并度过了有趣的上学第一天，我们能分享到山姆的快乐和憧憬。书中设有专供父母阅读的部分，可以帮助父母为孩子做好入学准备，使孩子能够充满热情并满怀信心地迎接这一具有里程碑意义的时刻的到来。

《伊莱家的谎言机》

实话实说其实挺好的

伊莱起初似乎并不习惯于说实话，可之后的说谎以及推卸责任给他带来了一系列的烦心事儿。这让伊莱认识到，实话实说其实挺好的。爸爸妈妈，还有他的宠物狗达菲，更喜欢他诚实。小孩子说假话、信口开河，甚至故意撒谎是很普遍的。为了帮您更好地理解小孩子说谎背后的“真相”，本书正文之后还附有心理学家玛丽·拉米亚博士所撰写的“写给父母的话”。

《不要告状，除非是大事！》

能自己解决，就不要去找大人

麦太太的班里有19名学生，19个爱告状的小家伙。告状现象在幼儿的现实生活中很普遍，他们常常会感到，如果没有大人帮忙，有些问题自己就是处理不好。这个为低年级学生写的故事温暖而幽默，提供了简单易行的指导，这样儿童就会懂得什么时候该自行解决问题，什么时候该去找大人。本书还附有“给老师和家长的建议”。